Mes Premières ENQUÊTES

LE FANTÔME DU CHÂTEAU

© 2016, éditions Auzou
24-32, rue des Amandiers, 75020 Paris – France

Direction générale : Gauthier Auzou
Responsable éditoriale : Maya Saenz-Arnaud
Assistante éditoriale : Emeline Trembleau
Conception graphique : Alice Nominé
Responsable fabrication : Jean-Christophe Collett
Fabrication : Bertrand Podetti
Correction : Catherine Rigal

Mes Premières ENQUÊTES

LE FANTÔME DU CHÂTEAU

Écrit par Emmanuel Trédez
Illustré par Maud Riemann

AUZOU *romans* Premiers pas

1   Un château hanté

Au château de Rochebrune, la visite guidée a commencé. Enzo et ses parents rejoignent le groupe au moment où la guide parle des ancêtres de l'actuel propriétaire.

— Vous n'avez pas peur des fantômes, les enfants ?

— Noooon ! répondent en chœur les petits visiteurs intrépides.

— Tant mieux ! conclut la guide, car on dit que le château est hanté par un fantôme qui pourrait bien être Guillaume de Rébusse, le jeune homme représenté sur ce tableau.

Elle montre le portrait d'un garçon à l'air doux et triste.

— Guillaume était tombé amoureux d'une jolie paysanne qui servait au château. Un jour, son père Jean les surprit ensemble et chassa la fille. On dit que le fantôme de Guillaume pleure encore son amour perdu.

La guide continue à parler, mais Enzo n'écoute plus. Son attention s'est portée sur une fille qui le regarde fixement, lui et son sac à dos. Ou plutôt la tête poilue qui sort du sac : celle de son chien Max !

La fille s'approche.

— Les animaux sont interdits à l'intérieur du château, lui fait-elle remarquer.

— Tu ne diras rien ?

— Non… À condition que tu me laisses le caresser.

— D'accord.

Max a l'air vexé : « Il pourrait me demander mon avis, quand même ! »

— Il s'appelle comment, ton chien ?

— Max.

— Max ? C'est bizarre pour un si petit chien !

— Oui, c'est ça qui est drôle… Au fait, je m'appelle Enzo. Et toi ?

— Chloé.

Soudain, le garçon est rappelé à l'ordre par ses parents.

— Enzo, j'aimerais que tu écoutes un peu.

— Mais ça m'ennuie, maman…

— Évite au moins de te faire remarquer !

Quand Enzo tourne de nouveau la tête vers Chloé, la fillette a disparu !

2 L'enquête commence !

Enzo fouille la salle du regard, il ne voit Chloé nulle part. C'est alors qu'il marche sur la casquette qu'elle tenait à la main. En la ramassant, il fait tomber un papier sur lequel sont dessinés deux os :

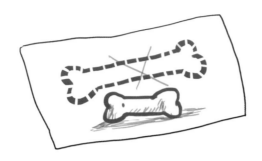

Max s'en lèche déjà les babines :
« Cette visite commence à me plaire ! »

Enzo se gratte la tête. Qu'est-ce que ça veut dire, tout ça ?

— Eurêka, s'écrie-t-il. C'est un rébus ! Chloé est en danger et avec cet « os court », elle nous appelle « au secours » !

Enzo fait sentir la casquette à Max.

— Avec ton flair, tu vas retrouver Chloé en moins de deux, pas vrai ?

Le chien se précipite vers la salle voisine, Enzo lui emboîte le pas. Ça doit être une chambre car il y a un lit. Une tapisserie représentant une scène de chasse au faucon est tendue au mur.

Soudain, Enzo aperçoit un chat. C'est lui, bien sûr, qui a attiré son chien dans cette salle !

— Et tu as pensé à Chloé ?

« Ben non, j'ai un autre chat à fouetter, moi ! »

Le matou file à toute allure vers la pièce d'à côté et échappe de peu à Max en sautant par la fenêtre ouverte.

Devant la grande cheminée, Enzo remarque une basket abandonnée. Il jurerait que Chloé en portait des pareilles. Et ce n'est pas tout. Dans la basket, il découvre un autre papier, et un autre rébus :

3   Le passage secret

— Fastoche ! s'écrie Enzo. Ça fait :
« Pousse la licorne ».

Mais quelle licorne ? Enzo observe
le manteau de la cheminée et découvre,
parmi les délicates sculptures, une

licorne : l'emblème de la famille de Rébusse !

Sans hésiter, l'apprenti détective enfonce avec son doigt la licorne sculptée. Au fond de la cheminée, le mur pivote et s'ouvre sur un passage secret.

— Qu'est-ce que tu en penses, Max ? On y va ?

Le chien remue la queue. Enzo prend ça pour un oui.

Il fouille dans son sac, en sort une lampe de poche et s'engage dans le couloir. Aussitôt, le mur se referme derrière lui. Le garçon n'est pas franchement rassuré !

Le passage longe les murs de la salle et continue au-delà. Au bout de vingt-cinq mètres, Enzo manque de trébucher sur une estrade. Au mur, à mi-hauteur, il remarque une tirette. En l'actionnant, il dévoile deux petites ouvertures. Il doit se hisser sur la pointe des pieds pour avoir les yeux en face des trous. De là, il se met à observer la chambre où le groupe vient d'arriver.

— Je parie que les trous correspondent aux yeux du seigneur, sur la tapisserie !

Enzo aperçoit ses parents.

— Ils se demandent sûrement où je suis passé !

Il hésite à revenir sur ses pas, mais il aurait l'air malin s'il sortait de la cheminée devant la guide. Alors il poursuit son chemin. Quelques

mètres plus loin, le couloir s'arrête.
Enzo pousse le mur du fond et se
retrouve dans une bibliothèque...

4 La tour des Amoureux

Le panneau de la bibliothèque se referme derrière Enzo. Il inspecte la pièce, il n'y a aucune trace de Chloé. Mais voilà que le groupe arrive.

— Vite, Max, rentre dans le sac !

Enzo attend qu'il y ait assez de gens dans la pièce pour se montrer.

— Coucou, maman !

— Où étais-tu passé, Enzo ?

— Je m'étais caché !

— Ce n'est pas drôle ! Maintenant, tu ne nous quittes plus d'une semelle !

Une demi-heure plus tard, la visite se termine dans la cour du château. Soudain, un bruit attire l'attention d'Enzo. C'est une pierre qui a roulé à ses pieds. Elle est enveloppée dans un papier et maintenue par un élastique. « Encore un indice laissé par Chloé ! » se dit-il.

Cette fois, le rébus est constitué de cinq dessins :

Le dernier dessin lui donne du mal, mais il finit par décoder le message : « Dans la tour des Amoureux ».

C'est là que Guillaume de Rébusse retrouvait la jolie paysanne, c'est là que Chloé doit être retenue prisonnière !

Enzo s'approche de la guide pour lui donner une pièce. Il lui demande :

— C'est laquelle, la tour des Amoureux ?

— Tu ne peux pas te tromper : ce n'est ni la plus haute, ni la plus grosse, ni la plus proche du pont-levis.

« Encore quelqu'un qui a le goût des énigmes ! » se dit Enzo.

Il observe l'une après l'autre les quatre tours et repère la tour des Amoureux.

Pendant que ses parents s'attardent dans la boutique du château, Enzo se demande quel prétexte il va inventer pour entrer dans la tour. Mais déjà Max fonce à l'intérieur. Il n'aura qu'à dire qu'il s'est lancé à la poursuite de son chien !

5   La fin du mystère

C'est une écuelle pleine de croquettes qui a attiré Max dans la tour !

Enzo lève la tête et aperçoit le fantôme en haut de l'escalier.

— Vite, Max, cours-lui après !

Le chien s'élance et rattrape le fantôme au sommet de la tour, au moment où il referme la porte derrière lui. Max a réussi à lui arracher son drap.

— Mais alors, ce n'est pas un vrai fantôme, et celui qui se cachait sous le drap se trouve derrière cette porte... Enzo toque.

— Mot de passe ? répond une voix.

Pendant ce temps-là, Max a filé dans l'escalier. Quelques secondes plus tard, il remonte, tenant l'écuelle dans sa gueule.

— Ce n'est pas le moment de manger, le gronde gentiment Enzo.

Pourtant, Max insiste. Enzo examine l'écuelle et trouve dans les croquettes un nouveau rébus :

— Bravo, Max, tu es le meilleur !

Le chien lui lèche les doigts : « J'espère que tu t'en souviendras lorsque tu achèteras ma pâtée trois étoiles ! »

Enzo donne le mot de passe : « Rébus ». La porte s'ouvre sur... Chloé.

— Hein ? C'est toi qui jouais les fantômes ?

— Eh oui, il faut bien s'amuser !

— Tu habites ici ?

— Pas moi, mes grands-parents. Je passe mes vacances au château.

— Mais pourquoi tous ces rébus ?

— Ben, je suis quand même une

descendante de Jean de Rébusse !

Enzo sourit. Quelle histoire !

— Au fait, reprend-il, j'ai quelque
chose à toi.

Il sort de son sac la casquette de
Chloé et sa basket. Il l'aide à l'enfiler,

on se croirait dans *Cendrillon* ! Enzo
ne peut s'empêcher de rougir.

— Il faut que j'y aille, lui dit-il
mes parents doivent m'attendre.
Merci, Chloé. Grâce à toi, j'ai résolu
une nouvelle enquête !

Les aventures d'Enzo et Max,
les apprentis détectives, continuent...

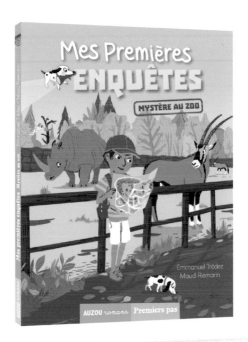

MYSTÈRE AU ZOO

Une **surprise de taille** attend Enzo, ce matin.
Son oncle l'emmène au zoo !
Avec Max, le petit garçon découvre de **mystérieux messages** qu'il va devoir élucider...

Les aventures d'Enzo et Max, les apprentis détectives, continuent !

MYSTÈRE ET BONHOMME DE NEIGE

Enzo passe des vacances sportives à la montagne avec son ami Émile.
Un matin, les deux garçons reçoivent des **messages codés**… Qui est ce **mystérieux** expéditeur ?

Les héros des lecteurs débutants
sont dans la collection Premiers pas !

Dent-Dure et
Courtepatte
au royaume
de Ventremou

Dent-Dure et
Courtepatte
au royaume
de Beaumiroir

Dent-Dure et
Courtepatte
au royaume
de Malparole

Dent-Dure et
Courtepatte
au royaume
de Toutécran

Lisa et le Gâtovore

Lisa et le Croquemot

Les héros des lecteurs débutants sont dans la collection Premiers pas !

Les poudres du Père Limpinpin
Bérengère est en colère

Les poudres du Père Limpinpin
Edgard est en retard

Les poudres du Père Limpinpin
Clément ment tout le temps

Les poudres du Père Limpinpin
Lilou a peur de tout

Les héros des lecteurs débutants
sont dans la collection Premiers pas !

Cosmos Express
Le Crok'planète

Cosmos Express
Planète interdite

Un petit frère, non merci !

Une baby-sitter, non merci !

Table des matières

Un petit mot de l'auteur et de l'illustratrice

J'aime les énigmes. Tout particulièrement celles qui reposent sur des jeux avec les mots. Les résoudre (si j'y arrive) ou les inventer, comme ici. J'aurais adoré être à la place d'Enzo et mener mes propres enquêtes. Mais moi, je n'aurais pas pu compter sur mon chat pour m'aider. Il est bien trop paresseux !

Emmanuel Trédez

Le premier texte que j'ai illustré en sortant de l'école de dessin était d'Emmanuel Trédez ! J'ai beaucoup aimé dessiner Max et j'aurais aimé avoir un petit chien dans mon sac à dos ! Après avoir fini *Le fantôme du château*, je vérifiais bien qu'il n'y avait pas d'yeux qui m'observaient derrière les portraits...

Maud Riemann